1. Lesestufe

Katja Reider

Erstlesegeschichten für Mädchen in der 1. Klasse

Mit Bildern von Betina Gotzen-Beek

Ravensburger Buchverlag

Bibliografische Information Der Deutschen Bibliothek:

Die Deutsche Bibliothek verzeichnet diese Publikation
in der Deutschen Nationalbibliografie.
Detaillierte bibliografische Daten sind im Internet
über **http://dnb.ddb.de** abrufbar.

7 8 E D C B A

Diese Ausgabe enthält die Bände
„Prinzessinnengeschichten" von Katja Reider mit Illustrationen von Betina Gotzen-Beek,
„Nixengeschichten" von Katja Reider mit Illustrationen von Betina Gotzen-Beek
© 2008 und 2011 Ravensburger Buchverlag Otto Maier GmbH

Ravensburger Leserabe
© 2014 Ravensburger Buchverlag Otto Maier GmbH
Postfach 1860, 88188 Ravensburg
für die vorliegende Ausgabe

Printed in Germany
ISBN 978-3-473-36433-6

www.ravensburger.de
www.leserabe.de

Inhalt

Katja Reider

Prinzessinnengeschichten

Mit Bildern von Betina Gotzen-Beek

Inhalt

Wer spielt mit Prinzessin Lilabel?

Prinzessin Lilabel hat alles:

Kleider aus Samt und Seide,

Spielzeug bis unter die Decke

und ein rosarotes Himmelbett.

Aber Prinzessin Lilabel hat niemanden,

der mit ihr spielt.

Lilabels Mama, die Königin,
muss von früh bis spät regieren.

Und Lilabels Papa muss immer
irgendeine Schule einweihen.
Oder ein Krankenhaus.
Oder einen Flohzirkus.
Keiner hat Zeit für Lilabel!

Da kommt Janne, das Zimmermädchen.
„Spielst du mit mir Mau-Mau?",
bittet Lilabel.

Das Zimmermädchen lacht.
„Und wer räumt das Schloss auf?"
„Ich!", verspricht Lilabel. „Hinterher!
Großes Prinzessinnen-Ehrenwort!"

Also gut.

Erst gewinnt Janne beim Mau-Mau.

Dann zeigt sie der Prinzessin,

wie man die Betten macht

und Staub wischt.

Sogar Fenster putzen lernt Lilabel.

Ruckzuck ist alles blitzeblank.

Lilabel geht in die Schlossküche.

„Machst du mit mir ein Puzzle?",

bittet sie Max, den Küchenjungen.

Max lacht.

„Und wer bereitet das Essen zu?"

„Ich!", verspricht Lilabel. „Hinterher!

Großes Prinzessinnen-Ehrenwort!"

Also gut.

Erst legen Max und Lilabel ein Puzzle.

Dann zeigt Max der Prinzessin,
wie man eine Suppe kocht
und einen Nudelauflauf.
Sogar backen lernt Lilabel.

„Hmm … Was für ein leckerer Kuchen!",
lobt der König am Abend.
„Den habe ich gebacken!",
ruft Lilabel stolz.
„Und geputzt habe ich auch!"

„Du??!!" König und Königin staunen.

Da erzählt die Prinzessin
von ihrem Handel mit Janne und Max.
„So was gab es zu meiner Zeit nicht!",
sagt der König kopfschüttelnd.

Aber dann muss er lachen.

„Und mit wem spielst du morgen,
Lilabel?", fragt die Königin.
„Mit dir!", ruft Prinzessin Lilabel.
„Wollen wir uns verkleiden? Bitte,
Mama!"

Die Königin fragt:
„Und wer soll für mich regieren?"

„Ich!", verspricht Lilabel. „Hinterher!
Großes Prinzessinnen-Ehrenwort!
Ich habe auch schon
ein paar gute Ideen."

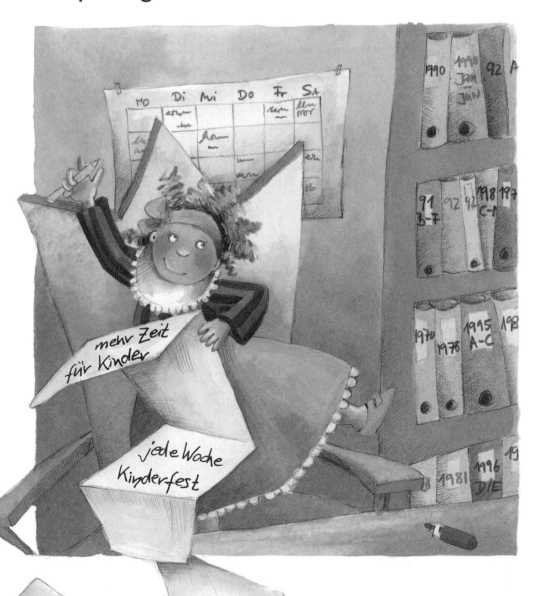

„Na, da bin ich ja schon sehr gespannt!",
lächelt Lilabels Mutter.

Die wahre Geschichte
von der Prinzessin auf der Erbse

Es war einmal ein Prinz.

Der wollte gerne heiraten.

Aber nur eine wirkliche Prinzessin!

Er suchte auf der ganzen Welt.

Aber nie war er sich sicher,

eine echte Prinzessin vor sich zu haben.

Doch eines Abends
während eines heftigen Unwetters
stand ein Mädchen vor dem Schlosstor.

„Lasst mich herein!",
bat die pitschnasse Gestalt.
„Ich bin eine wirkliche Prinzessin!"

Die Königin war misstrauisch
und wollte die Prinzessin prüfen.
Sie legte ihr heimlich
eine Erbse ins Bett.

Darauf packte sie zwanzig Matratzen
und zwanzig Daunendecken.

„Warum tust du das, Mutter?",
fragte der Prinz verwundert.

„Weil eine wirkliche Prinzessin
so empfindsam ist,
dass die Erbse sie stört.
Trotz all der weichen Decken",
erklärte die Königin.
„Warte nur ab!"

Das Mädchen betrachtete indessen
sein seltsames Schlaflager.

Schließlich kletterte es hinauf
und hüpfte lustig
auf dem Bettenberg herum.
Hui – das war ja besser
als ein Trampolin!

Doch plötzlich
horchte das Mädchen auf!
Was war das denn
für ein Geräusch?
Dieses leise Fiepen da unten …
War da etwa jemand in Not?
Oje!

Blitzschnell warf das Mädchen

Decken und Matratzen zu Boden.

Bis es schließlich ganz unten

eine verängstigte Maus entdeckte.

Nanu, die Maus knabberte ja eine Erbse!

Wie kam die denn dahin?

Egal.

Beherzt nahm das Mädchen die Maus,
streichelte ihr beruhigend übers Fell
und trug sie nach draußen.

Dann türmte es die Betten wieder auf
und legte sich zur Ruhe.

„Und? Hast du gut geschlafen?",
fragte die Königin am Morgen.

„Ein wenig unruhig war es schon",
gab das Mädchen zu.
„In meinem Bett lag eine Erbse
und deswegen …"

„Oh, hört alle her!",
unterbrach die Königin das Mädchen.
„Wir haben endlich
eine wirkliche Prinzessin gefunden!
Sie hat die Erbse bemerkt!"

Da strahlte der Prinz,
denn er hatte sich
in das Mädchen verliebt.
Dem Mädchen ging es ebenso.

Daher dauerte es nicht lange,
bis Hochzeit gefeiert wurde.
Mit Erbsenpüree und Mäusespeck.

Ein königlicher Nachmittag

Prinzessin Lissy ist zu Besuch
bei Cousine Irmchen.
Ach, ist das langweilig!

Während die Mamas plaudern,
starren die Prinzessinnen
Löcher in die Luft.

Aber plötzlich sagt Irmchen:

„Komm, ich zeig dir meine Diademe!"

Na toll …!

Genervt folgt Lissy ihrer Cousine.

Nanu, wo läuft Irmchen denn hin?

Ist das etwa ein Geheimgang?

Tatsächlich!

Irmchen wirft Lissy einen Umhang zu.

„Zieh den über!

Damit erkennt uns niemand!"

Schon schlüpfen die Mädchen
aus dem Schlosstor.
„Wollen wir zum Markt?",
fragt Irmchen.

Prinzessin Lissy nickt aufgeregt.
„Au ja!"

Lissy sperrt Mund und Nase auf.

Hier ist ja was los!

All die Düfte und Farben,

die bunten Waren und Leckereien!

Und all die Händler und Musikanten –

herrlich!

Plötzlich horchen die Mädchen auf.
Ein Händler hält einen Jungen
fest und schreit:
„Du frecher Kirschen-Dieb!
Dir werde ich's zeigen!"
Irmchen strafft empört die Schultern.
„STOPP!", ruft sie.
„Lassen Sie sofort den Kleinen los!"

Schon stürmt sie auf den Händler zu.
Dabei stolpert sie über eine Kiste,
sucht Halt –
und reißt den ganzen Stand um!
Birnen, Äpfel und Kirschen
kullern zu Boden!

Irmchen ist starr vor Schreck
und der Händler krebsrot vor Wut.
„Na warte!", brüllt er.

Zum Glück reagiert Lissy blitzschnell.

Sie wirft dem zornigen Händler

eine Münze zu

und dem Jungen ein Goldstück.

Dann packt sie Irmchen am Arm

und zerrt sie flugs durch die Menge.

Außer Atem erreichen die Prinzessinnen
den Geheimgang.
„Puh, das war knapp!",
seufzt Irmchen.

„Aber sooo aufregend!",
jubelt Lissy.
„Das machen wir bald wieder, ja?"

„Na, ihr zwei",
lächeln die beiden Mamas,
als die Prinzessinnen zurückkommen.
„War euch langweilig?"

Irmchen und Lissy zwinkern sich zu.
„Och, nur ein bisschen …!"

Katja Reider

Nixengeschichten

Mit Bildern von Betina Gotzen-Beek

Inhalt

In Seenot

Pia freut sich:
Endlich sind Ferien!
Jetzt kann sie
ihr neues Schlauchboot
ausprobieren.
Super!

Kaum hat Papa das Boot aufgepumpt,
zieht Pia es ins Wasser.
Halt! Pias Bruder Jannis
will auch mit!
Na gut …
Jannis darf einsteigen.

„Paddelt nicht zu weit hinaus!",
warnt Papa.

Pia nickt.

Aber Jannis winkt ab.

Er ist doch kein Baby mehr!

Wie herrlich ist es
auf dem Wasser!
Bald lässt Jannis die Ruder sinken.
Er schließt die Augen.
Auch Pia döst ein bisschen.
Das Boot treibt dahin.

Da spüren die zwei
einen kräftigen Stoß!
Oh Schreck, was war das?
Etwa ein Hai?!
Nein, ein Mädchen schaut grimmig
über den Bootsrand!

„Ihr seid viel zu weit draußen!",
schimpft das Mädchen.
Pia und Jannis sehen sich um.
Oje, tatsächlich!
„Soll ich euch abschleppen?",
fragt das Mädchen.

Jannis schüttelt den Kopf.
„Danke, aber dafür bist du
doch gar nicht stark genug!"
„Irrtum", lacht das Mädchen.
„Das mache ich dauernd!
Weil ihr Zweibeiner
so unvorsichtig seid!"

„Bist du so eine Art
Rettungsschwimmerin?",
fragt Jannis.
„So ähnlich", kichert das Mädchen.
„Kommt ihr wirklich allein zurück?"
Jannis und Pia nicken.
Da winkt das Mädchen und taucht ab.

„Mann, die hatte ja grüne Haare!",
brummelt Jannis.
Pia lächelt nur.

Dass das seltsame Mädchen auch
einen Fischschwanz hatte,
braucht Jannis ja nicht
zu erfahren …

Das schönste Schuppenkleid

Die kleine Nixe Mirja stochert
in ihrem Algensalat herum.
Sie ist viel zu traurig,
um zu essen.

Gut, dass Toto Taschenkrebs
gerade vorbeikommt!
„Was ist denn los, Mirja?",
fragt Toto seine Freundin.

Mirja seufzt.

„Morgen ist das große Nixenfest.
Und ich darf nicht
beim Wasserballett mitmachen.
Weil meine Schuppen
nicht schön genug glitzern!"

„Das ist ja voll gemein!",
schimpft Toto empört.
„Aber nicht zu ändern",
seufzt Mirja.
Das werden wir ja sehen,
denkt Toto.
Und krabbelt eilig davon.

Am nächsten Tag
schwimmt Mirja zum Nixenfest.
Was für ein Trubel!

Und wie prächtig
alles geschmückt ist!

Aber Mirja kann sich nicht
daran freuen.
Traurig streicht sie
über ihre blassen Schuppen.
Gleich beginnt das Nixenballett.
Und sie darf nicht dabei sein!

Da kommt ja Toto!
„Stell dich zu den anderen,
Mirja!", raunt er. „Schnell!"

Die kleine Nixe gehorcht verdutzt.
Kaum steht sie in Position,
setzt sich ein Schwarm
winziger Leuchtfische
auf ihr Schuppenkleid.
Oh, wie das strahlt und glitzert!

Jetzt ist Mirja die Schönste
von allen.
Das Ballett wird ein voller Erfolg.

Und später bekommt Toto
einen gaaanz dicken Kuss …

Ein seltsamer Fang

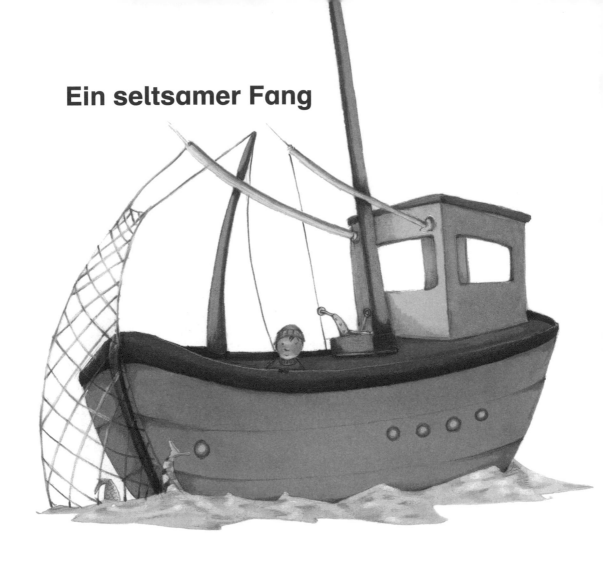

Schiffsjunge Arne hievt das Netz
mit dem frischen Fang an Bord.
Puh, ist das schwer!
Plötzlich stutzt Arne.
Nanu, wer schimpft denn da so?

Ungläubig reißt Arne die Augen auf.
Na so was, da im Netz ist ja
eine NIXE!
Sie zappelt und ruft:
„Hol mich doch hier raus!"
Arne tut, was er kann.

Da kommen auch die anderen Fischer.
„Boah, eine echte Nixe!",
ruft der blonde Hein.
„Die können wir ausstellen
und Eintritt nehmen!"
Alle johlen begeistert.
Nur Knut, der alte Seebär, schweigt.

„Das könnt ihr doch nicht machen!",
ruft die kleine Nixe entsetzt.
Aber – schwupps – da wird sie schon
in ein Fass gesetzt.
Arne soll sie bewachen.
„Hilf mir!", bittet ihn die kleine Nixe.
„Wirf mich ins Meer zurück!"

Arne hält sich die Ohren zu.

Er kann die Nixe nicht freilassen!

Alle wären furchtbar wütend auf ihn.

„Bitte!", fleht die kleine Nixe.

Oje, jetzt weint sie sogar!

Arne hält es nicht mehr aus.
Er hebt die kleine Nixe
aus dem Fass
und wirft sie – hui – ins Meer.
„Danke!", klingt es von unten.
„Tausend Dank!"
„Schon gut", murmelt Arne.
„Tschüss, kleine Nixe!"

Auweia, da kommt jemand!
Es ist Knut, der alte Seebär.
Er sieht das leere Fass und fragt:
„Wo ist denn unsere Nixe?"
Arne holt tief Luft.
„Ich habe sie freigelassen!"

Ob jetzt ein Donnerwetter kommt?
Nein, Knut zwinkert ihm zu.
„Sagen wir besser,
sie wurde über Bord gespült.
Einverstanden?"
Arne strahlt. Na klar!

Die Riesen-Perle

Die Nixen Susa und Nelli
sind beste Freundinnen.
Jeden Tag spielen sie Verstecken
zwischen den Korallen am Riff.
Oder sie suchen nach Muscheln.

Auch heute sind die zwei unterwegs.
„Schau!", ruft Nelli plötzlich.
„Eine Riesen-Perle!", jubelt Susa.
Tatsächlich, da in der Muschel
liegt eine prächtige rosa Perle!

„Sie gehört mir!", ruft Susa.

„Ich habe sie zuerst gesehen!"

„Nein, ich!", widerspricht Nelli.

Oje, zum ersten Mal streiten die beiden!

Da kommt Titus, der Tintenfisch.

„Was ist denn hier los?", fragt Titus.

„Ich dachte, ihr seid Freundinnen."

Die beiden Nixen erröten.

„Wir streiten um die Perle", erklärt Susa.

„Ich habe sie entdeckt, aber Nelli … "

„Still!", zischt Titus plötzlich.

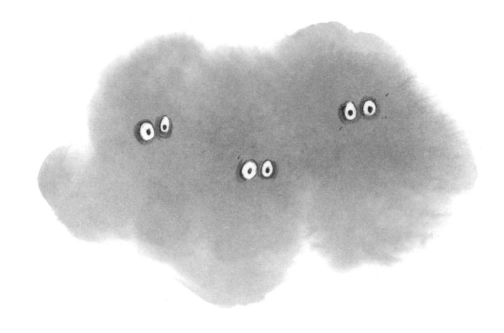

Die Nixen verstummen erschrocken.
Mit einem Mal sind alle drei
von einer dichten dunklen Farbwolke
umhüllt.
Als es wieder hell wird,
wispert Susa: „Was ist geschehen?"

„Ich habe Farbe verspritzt", erklärt Titus.

„Damit der Hai uns nicht sieht!"

„DER HAI??!!", rufen die Nixen

erschrocken.

Titus nickt. „Keine Sorge, er ist weg!"

„Unsere Perle aber auch!",

jammert Susa.

Tatsächlich, die Muschel ist leer!
„Der Hai muss sie geschluckt
haben!", meint Nelli.
„Wir finden bestimmt eine neue",
tröstet Susa ihre Freundin.
Die beiden Nixen lächeln sich zu.

„Das denke ich auch!", sagt Titus.
Und schiebt die Perle
noch etwas tiefer
in seine Felsspalte.

Es wäre doch wirklich schade,
wenn sich die Nixen
wegen einer Perle
zerstritten hätten …

Leserätsel

mit dem Leseraben

Super, du hast das ganze Buch geschafft!
Hast du die Geschichten ganz genau gelesen?
Der Leserabe hat sich ein paar spannende
Rätsel für echte Lese-Detektive ausgedacht.
Wenn du Rätsel 4 auf Seite 90 löst, kannst du
ein Buchpaket gewinnen!

Rätsel 1

In dieser Buchstabenkiste haben sich vier Wörter
aus den Geschichten versteckt. Findest du sie?

Z	O	P	R	I	N	Z
S	F	M	A	U	P	I
N	E	T	Z	G	H	M
I	O	A	S	T	Q	A
X	B	S	U	Z	V	U
E	K	O	C	N	D	S

Rätsel 2

Der Leserabe hat einige Wörter aus den
Geschichten auseinandergeschnitten.
Immer zwei Teile ergeben ein Wort.
Schreibe die Wörter auf ein Blatt!

-chen

Ku-

Himmel-

-bär

-boot

Schlauch-   See-   -bett

Rätsel 3

In diesem Satz von Seite 70 sind acht falsche
Buchstaben versteckt. Lies ganz genau und trage
die falschen Buchstaben der Reihe nach in die
Kästchen ein.

Schiffsjunge Arnke hievt doas Nertz
mita delm frischlen Fange an Bornd.

1	2	3	4	5	6	7	8

Rätsel 4

Beantworte die Fragen zu den Geschichten.
Wenn du dir nicht sicher bist, lies auf den Seiten
noch mal nach!

1. Was fehlt Prinzessin Lilabel?
(Seite 8)
F: Sie hat niemanden, der mit ihr spielt.
R: Sie hat nicht genug Spielzeug.

2. Was macht das Mädchen auf dem Bettenberg?
(Seite 25)
S : Es bekommt Höhenangst.
N: Es hüpft darauf herum.

3. Warum streiten die beiden Nixen Susa und Nelli?
(Seite 80/81)
N: Sie streiten wegen einer Muschel.
I : Sie streiten wegen einer Perle.

Lösungswort:

1	R	E	U	2	D	3	N

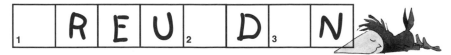

Rabenpost

Jetzt wird es Zeit für die Rabenpost! Besuch mich doch auf meiner Homepage **www.leserabe.de** und gib dort unter der Rubrik „Leserätsel" das richtige Lösungswort ein. Es warten außerdem noch tolle Spiele und spannende Leseproben auf dich! Oder schreib eine E-Mail an **leserabe@ravensburger. de**. Jeden Monat werden 10 Buchpakete unter den Einsendern verlost! Natürlich kannst du mir auch eine Karte schicken.

An den LESERABEN
RABENPOST
Postfach 2007
88190 Ravensburg
Deutschland

Ich freue mich immer über Post!

Dein Leserabe